Przemysław Wechterowicz
Emilia Dziubak

PROSZĘ MNIE PRZYTULIĆ

Wydawnictwo EZOP

Pewnego wiosennego poranka,
gdy słońce szczotkowało właśnie swoje zęby,
Tata Niedźwiedź zapytał:
- Synu, czy wiesz, jaki jest najlepszy sposób na udany dzień?
Niedźwiadek uśmiechnął się od ucha do ucha.
- Wiem. Stoczenie się fikołkami z naszej górki!
Tata Niedźwiedź podniósł go wysoko.
- Ha, ha, ha! Tak, to rzeczywiście pomaga. Ale naprawdę najlepsze jest mocne

przytulenie się do kogoś.

Niedźwiadek leciał teraz ponad chmurami.
- Juupiiii, myślałem, tato, że to jest sposób na poprawienie humoru?
Tata Niedźwiedź jeszcze raz się roześmiał.
- Masz rację, synku. To jest sposób na wiele różnych rzeczy.

PROSZĘ MNIE PRZYTULIĆ

Tata Niedźwiedź nurkował właśnie w spiżarce
w poszukiwaniu ich ulubionego wrzosowego miodu, gdy usłyszał pytanie:
- Tato, a co byś powiedział na to, gdybyśmy teraz poszli

i przytulili Pana Bobra?

Tata Niedźwiedź wystawił głowę.
- Powiedziałbym, synu: na co jeszcze czekamy?!

W drodze rozmawiali o samych przyjemnych sprawach:
podziwiali pomysłowość budzącej się do życia natury, zastanawiali się, czy w kosmosie żyją inne niedźwiedzie, a także przekomarzali się, czy fajniej jest być ojcem takiego dzielnego i bystrego syna czy synem takiego mądrego i silnego ojca. Nim się obejrzeli, dotarli na miejsce.

Pan Bóbr nie spodziewał się gości. Tak był pochłonięty swoją pracą,
że dopiero dwa żywiołowo przed nim tańczące niedźwiedzie zwróciły jego uwagę.
- Taak, w czym mogę pomóc?
Tata Niedźwiedź wykonał ostatni piruet.

**- Taa-daaaam! Przyszliśmy pana przytulić,
drogi sąsiedzie.**

Pan Bóbr przyjrzał im się badawczo.
- Chcecie mnie przytulić? Ale dlaczego?
- Żeby przyjemniej się panu pracowało – odparł Niedźwiadek,
a jego tata szeroko się uśmiechnął.
Pan Bóbr nie do końca wiedział, co o tym myśleć, ale ponieważ chciał jak najszybciej wrócić do pracy, zgodził się na jedno nie za długie przytulenie. Kiedy wieczorem kładł się do łóżka, musiał przyznać, że jego sąsiedzi są nieco ekscentryczni, ale sympatyczni.

- Tato, myślisz, że Panu Bobrowi się podobało?
Tata Niedźwiedź poczochrał syna po głowie.
- Nie martw się, jestem pewien, że tak. Przytulenie zawsze działa pozytywnie.
Wrócili na drogę prowadzącą do domu, gdy naraz Niedźwiadek pociągnął tatę za futro.

- Tato, a może przytulimy jeszcze kogoś??

Tata Niedźwiedź zaniósł się śmiechem.
– Widzę, że ci się spodobało!

Panna Łasica bujała się w fotelu pogrążona w lekturze jakiejś pasjonującej powieści, gdy tajemniczy głos powiedział:

- Przepraszam, czy możemy panią przytulić?

Panna Łasica skoczyła na równe nogi, łapiąc się za serce.
- Chłopcze, nie masz chyba litości, że tak mnie wystraszyłeś!
Niedźwiadek jeszcze raz przeprosił, a potem wspólnie z tatą przytulili ją tak, jak tylko niedźwiedzie potrafią. Kiedy odchodzili, Panna Łasica wciąż jeszcze trzymała się za serce, lecz teraz nie była już przestraszona, lecz wzruszona.

Następnie spotkali parkę Zajęcy, która w najlepsze wcinała sobie młode marchewki.
- Uhm, uhm – odchrząknął Tata Niedźwiedź, mrugając do syna okiem.
- Proszę wybaczyć, że przeszkadzamy państwu w konsumpcji, ale chcielibyśmy się przyłączyć.
Zające struchlały. Jak dotychczas były przekonane, że niedźwiedzie żywią się miodem,
a tu proszę – spotyka je taka przykra niespodzianka!
- Oczywiście, częstujcie się – odpowiedziała zrezygnowana młoda para, odsuwając się na bok
– możecie zjeść nawet wszystko.
Tata Niedźwiedź podziękował za zaproszenie, wyrwał pierwszą z brzegu marchewkę, otrzepał
ją z ziemi i połknął w całości. Niedźwiadek poszedł za jego przykładem.
Po chwili wymownie na siebie spojrzeli.
- Nie wiem, jak ty, synu, ale ja chyba nie lubię marchewek.
- Ja chyba też, tato.

Wolę kogoś przytulić.

Zające rozpromieniły się.
- Naprawdę nie lubicie marchewek? To może nas przytulicie??
Tata z synem ochoczo się na to zgodzili. A Zające jeszcze długo po tym przytuleniu,
nie mogły uwierzyć w swoje szczęście.

Wilk stał znudzony przy drodze i ostrzył pazury. Kiedy podeszli do niego bliżej, nieco się ożywił.
- Widzieliście może taką małą dziewczynkę w czerwonej czapeczce? – zagadnął ich. – Wszędzie jej szukam.
Tata Niedźwiedź pokręcił głową.
- Żałuję, ale nie widzieliśmy.
- Ale jeżeli jest panu smutno – uśmiechnął się do Wilka Niedźwiadek – to chętnie pana przytulimy.
Wilk popatrzył na nich spode łba.
- No dobra – powiedział po chwili – przytulcie mnie. Tylko bez poufałości!
Kiedy tata z synem zniknęli już za zakrętem, Wilk wciąż tak był oszołomiony tym, jak mu było miło, że nawet nie zauważył małej dziewczynki z koszykiem, która nucąc sobie wesoło pod nosem, minęła go w podskokach.

Przy strumyku natknęli się na Starego Łosia, który z wielkim spokojem gasił pragnienie. Przyłączyli się do niego, ponieważ im również zaschło już w gardłach. Następnie Niedźwiadek przedstawił się i grzecznie zapytał, czy mogliby starszego pana przytulić. Zdumiony Łoś podniósł łeb i wytężył słuch.

- Czy ja dobrze słyszałem, że ktoś tu chciałby mnie przytulić?

- W rzeczy samej – odrzekł Tata Niedźwiedź.

- Ale dlaczego chcecie przytulić takiego starego konia jak ja, co?

- Ponieważ wtedy będzie miał pan udane życie – odpowiedział Niedźwiadek.

Nie było to może do końca zgodne z tym, co Niedźwiadek chciał wyrazić, ale Stary Łoś chrapliwie się roześmiał.

- Ha, ha! Rozbawiłeś mnie, smyku, do łez. W takim razie – zgodził się Łoś

– proszę mnie przytulić. Tylko dokładnie! – dodał.

- Chcę mieć bardzo udane życie.

Po wzorowym przytuleniu zostawili zadowolonego Łosia i poszli dalej.

Na polanie, tuż za wielkim dębem, ktoś nieznajomy prażył się w słońcu.
- A co pani tutaj robi?! – zawołał zdumiony Tata Niedźwiedź, gdy podeszli bliżej.
– Nie wiedziałem, że w naszym lesie żyje taka duża i piękna Anakonda!
Słysząc taki wyszukany komplement, Anakonda perliście się roześmiała.
- Hi, hi, hi! Jest pan wyjątkowo miły, a ja jestem właśnie w odwiedzinach u mojego dalekiego kuzyna, Zaskrońca. A panowie co tutaj robicie?
- Obchodzimy las i przytulamy napotkane osoby – wyjaśnił Tata Niedźwiedź.

- I pania też przytulimy, pani Anakondo

– dodał Niedźwiadek.
- Z największą przyjemnością – uśmiechnęła się. – Tylko mocno!
Przytulili ją więc najmocniej, jak potrafili. Tata Niedźwiedź przestraszył się nawet, czy aby nie za mocno, ale Anakonda jeszcze ich zachęcała.
- Śmiało, chłopcy! Przytulanie to moja największa pasja!
Zasapani, ale szczęśliwi ruszyli przed siebie.

Gdy mijali łąkę, na której zakwitały już pierwsze wonne kwiaty,
Niedźwiadek krzyknął z zachwytem.

– Tato, spójrz,
jaka kolorowa Gąsienica!

Tata Niedźwiedź niemal dotknął jej nosem.

- Rzeczywiście, przypomina kawałek tęczy.
Gąsienica widząc wielkie jak księżyc i słońce głowy, stanęła na baczność.
- Ej, wy dwaj, odsuńcie się. Nie mogę się rozpraszać, muszę szybciutko zawinąć się w kokon!
Niedźwiadek pierwszy raz o tym słyszał.
- A po co ci kokon?
- Jak to po co? Żeby przeobrazić się w motyla.
- Och, tato, z tej Gąsienicy wykluje się motyl!

A czy mogę cię tylko raz przytulić?

- zapytał jednym tchem Gąsienicę.
Gąsienica wyciągnęła w jego kierunku wszystkie nóżki.
- Możesz.
Niedźwiadek przytulił ją więc najdelikatniej na świecie,
a potem życzyli jej z tatą wszystkiego dobrego.

W pewnym momencie, gdy szli zasłuchani w śpiew sikorek,
Tata Niedźwiedź położył palec na pysku i zaczął podkradać się w stronę małego zagajnika. Niedźwiadek bezszelestnie podążył za nim, a gdy wychylili się zza krzaka, zobaczyli Myśliwego, który przez lornetkę obserwował las.

- Tatusiu – szepnął Niedźwiadek

– myślisz, że możemy go przytulić?

- Myślę, synu, że nawet powinniśmy go przytulić! – odparł bez wahania Tata Niedźwiedź, a potem przytulili Myśliwego nadzwyczaj dokładnie.

- A tę strzelbę – powiedział na pożegnanie Tata Niedźwiedź – weźmiemy na przechowanie.

- Tak na wszelki wypadek – dodał rezolutnie Niedźwiadek.

- Oczywiście, że na wszelki wypadek! – wyrecytował wdzięczny Myśliwy.

Miało się już powoli ku wieczorowi, gdy radośni i pełni energii wracali do domu.
- To był świetny dzień, tato!
Tata Niedźwiedź pokiwał głową.
- Lepiej bym tego nie ujął, synu.
Niedźwiadek zerwał dębowy liść i zrobił z niego samolot.
- Myślisz, że możemy to kiedyś powtórzyć?
Tata Niedźwiedź dmuchnął potężnie i puszczony przez Niedźwiadka samolot pofrunął daleko przed nimi.
- Jestem pewien, że jeszcze nieraz wypuścimy się na podobną wyprawę!

W drodze powrotnej zdążyli jeszcze przytulić całkiem sporo osób.

- Chwilo, trwaj...

- Czy ktoś może nam zrobić zdjęcie?

- Ale bicepsy, ulala!

- Dzieci, po kolei,
nie wszystkie na raz.

- Dobre z was chłopy.

- Zaczekajcie! Jeszcze my!!

Zbliżali się już do domu, gdy raptem Niedźwiadek puknął się głośno w czoło.

– Tato, przecież o kimś zapomnieliśmy!?

Tata Niedźwiedź zatrzymał się, popatrzył zdziwiony na syna, westchnął głęboko i przeliczył mieszkańców lasu. Wygląda na to, pomyślał sobie w duchu, że przytuliliśmy wszystkich, co do jednego.

– Jesteś pewien, synku, że o kimś zapomnieliśmy?

– Oj tato, pewnie, że tak!

Tata Niedźwiedź oparł strzelbę o drzewo i raz jeszcze wszystko dokładnie porachował. Z której strony by nie liczyć – zgadzało się co do joty! Rozłożył więc łapy i powiedział.

– Poddaję się, synu. Możesz mnie nawet zastrzelić, a nie przypomnę sobie. Kogo więc nie przytuliliśmy?

Niedźwiadek jednym susem skoczył tacie na szyję.

– Siebie nawzajem, tatusiu!

Roześmiali się serdecznie, a potem przytulili najmocniej, najdokładniej i najczulej, jak tylko potrafili.

Koniec

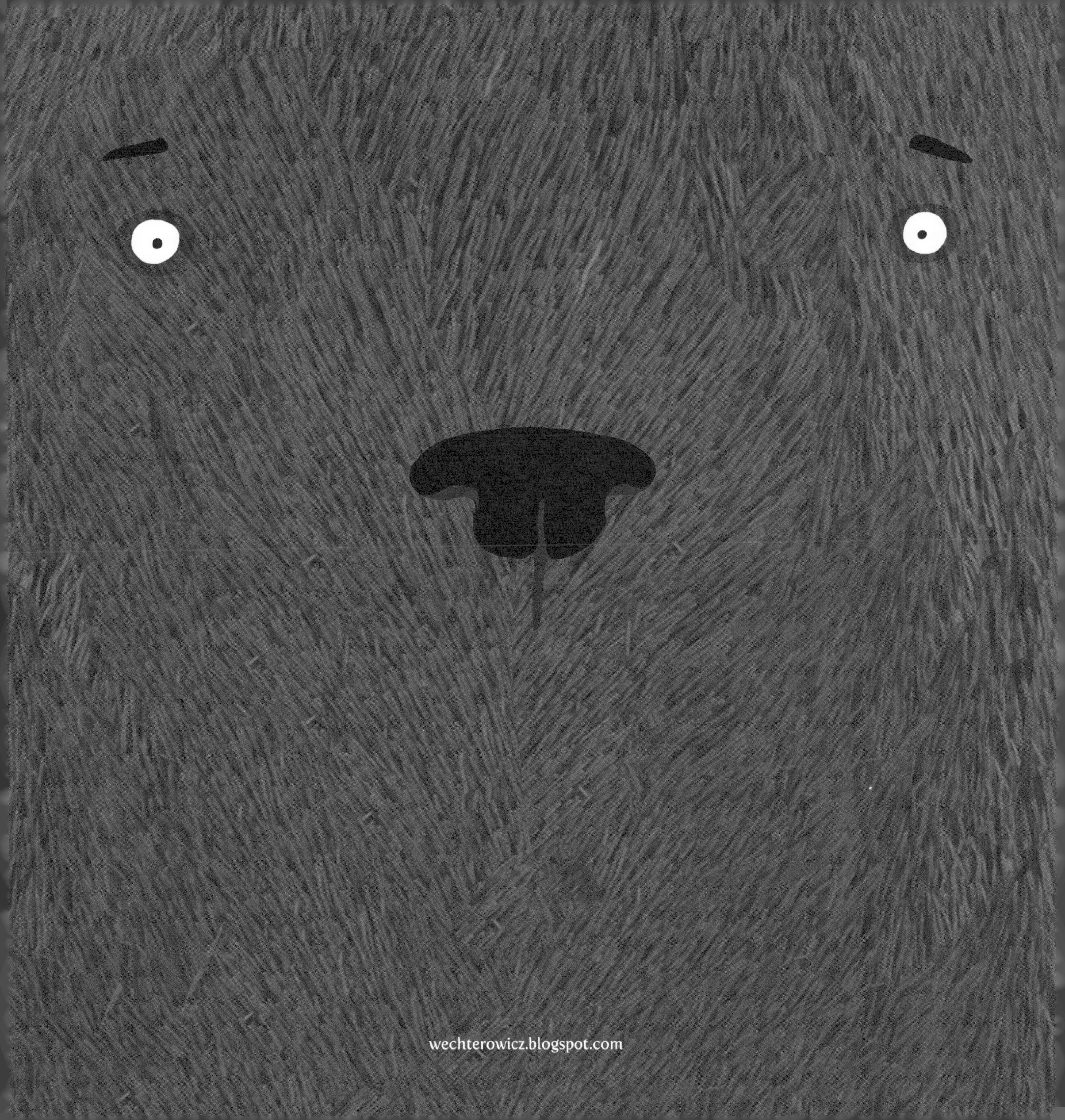

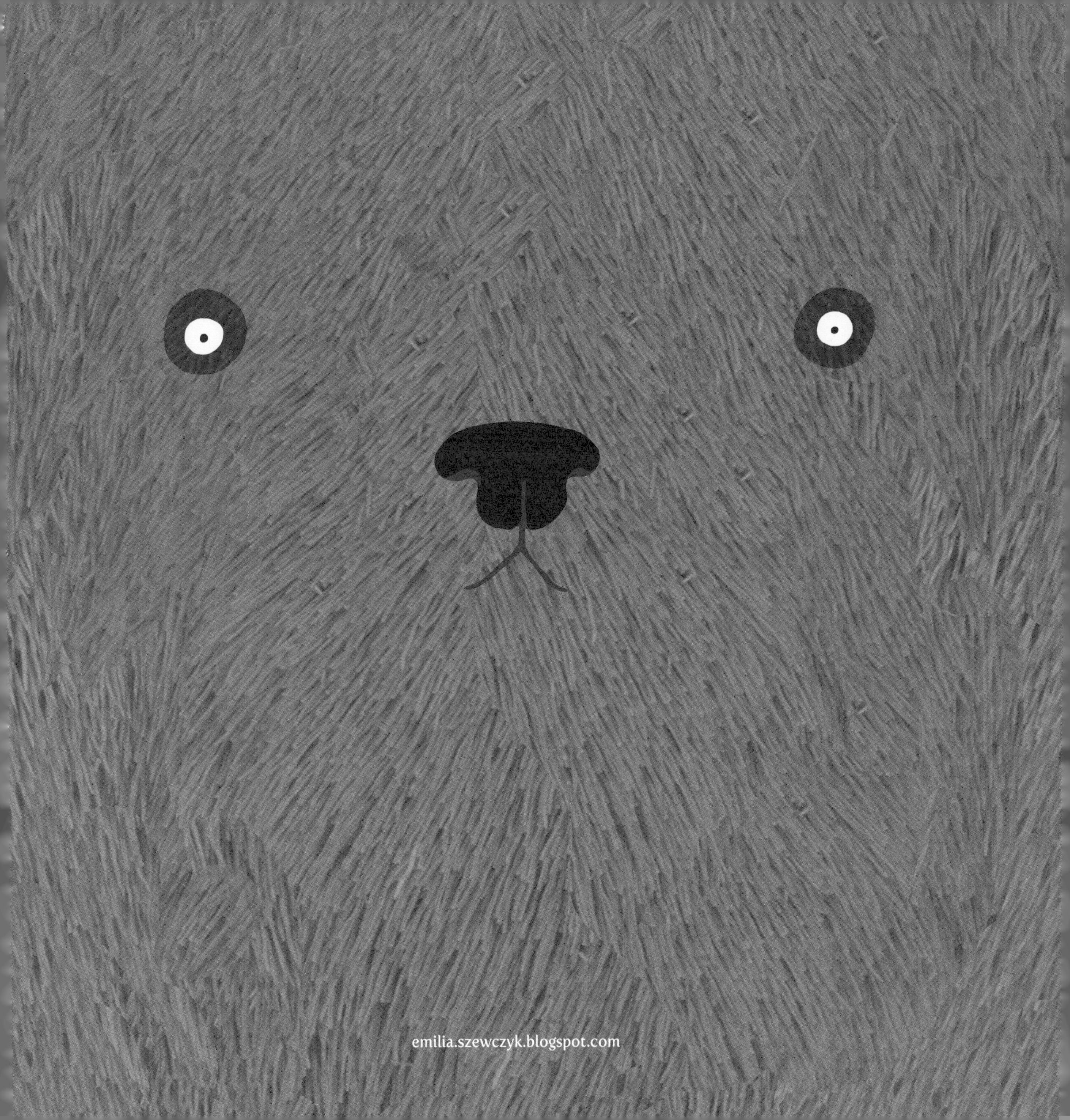
emilia.szewczyk.blogspot.com

Zapraszamy do naszego sklepu internetowego
www.ezop.com.pl

Polecamy też inne książki duetu Wechterowicz/Dziubak:

Redakcja Elżbieta Cichy
Skład i łamanie Emilia Dziubak
Ilustracje i projekt graficzny okładki Emilia Dziubak

Wydawnictwo Ezop Sp. z o.o.
01-829 Warszawa, Al. Zjednoczenia 1/226
Tel. (22) 834 17 56
e-mail: 2ezop@wp.pl
www.ezop.com.pl

Druk i oprawa Edica Sp. z o.o.

ISBN 978-83-65230-27-0

Warszawa 2018